W9-BSQ-064

标准教程 STANDARD COURSE

HSK

主编：姜丽萍
LEAD AUTHOR: Jiang Liping

编者：董政、张军
AUTHORS: Dong Zheng, Zhang Jun

4上

练习册 Workbook

北京语言大学出版社
BEIJING LANGUAGE AND CULTURE UNIVERSITY PRESS

使用说明

《HSK标准教程4　练习册》与《HSK标准教程4》配套使用，目的是与HSK考试接轨，主要训练学生的听力、阅读和书写能力。全书分上、下册，共20课。每课设置听力、阅读和书写三个部分。

1. 听力。听力部分包括听一小段话判断句子对错、听短对话和问题选择正确答案、听长对话和问题选择正确答案三个部分。

2. 阅读。阅读部分包括读句子和对话选词填空、排列短句组成语段、读短文和问题选择正确答案三个部分。

3. 书写。书写部分包括排列词语组成句子、看图用所给词语造句两个部分。

上册练习册附录部分提供HSK（四级）中英文介绍，方便学习者全面了解该等级考试的基本情况；下册练习册附录部分提供HSK（四级）模拟试卷一套，尽量涵盖20课所学的生词及语言点，学习者可通过模拟试卷进行考前检测。

本练习册的试题题型、题目长短、语言风格及格式与真题完全一致。题目数量根据真题进行了比例上的缩减（参见下图两个表格的比较）。这样既保证了学习者练习的数量和质量，又可以让学习者在平日学习中接触到真题题型，参加HSK考试时不需要再花额外的时间熟悉题型。

HSK（四级）考试内容（100题）

<table>
<tr><th colspan="2">考试内容</th><th colspan="2">试题数量（个）</th><th>考试时间（分钟）</th></tr>
<tr><td rowspan="3">一、听力</td><td>第一部分</td><td>10</td><td rowspan="3">45</td><td rowspan="3">约30</td></tr>
<tr><td>第二部分</td><td>15</td></tr>
<tr><td>第三部分</td><td>20</td></tr>
<tr><td colspan="4">填写答题卡</td><td>5</td></tr>
<tr><td rowspan="3">二、阅读</td><td>第一部分</td><td>10</td><td rowspan="3">40</td><td rowspan="3">40</td></tr>
<tr><td>第二部分</td><td>10</td></tr>
<tr><td>第三部分</td><td>20</td></tr>
<tr><td rowspan="2">三、书写</td><td>第一部分</td><td>10</td><td rowspan="2">15</td><td rowspan="2">25</td></tr>
<tr><td>第二部分</td><td>5</td></tr>
<tr><td>共计</td><td>/</td><td colspan="2">100</td><td>约100</td></tr>
</table>

全部考试约105分钟（含考生填写个人信息时间5分钟）。

本练习册各课练习内容（50题）

练习内容		练习题量（个）		练习时间（分钟）
一、听力	第一部分	5	22	约15
	第二部分	7		
	第三部分	10		
二、阅读	第一部分	8	21	约20
	第二部分	4		
	第三部分	9		
三、书写	第一部分	5	7	约15
	第二部分	2		
共计	/	50		约50

练习册各课的考查内容包括当课和前几课的主要生词、语言点和旧字新词，并融入新的旧字新词，为学生创造更多理解新词语的机会。本练习册的练习，教师根据总课时数，既可以带领学生在课上完成，也可以以作业的形式布置给学生。完成练习后，学生可对照答案（见本级教师用书或登录网站www.blcup.com获取）自测学习效果。

以上是对本练习册使用方法的一些说明和建议，教师在教学过程中可以根据实际情况灵活使用。本练习册是一、二、三级练习册的延续，在形式和难度上都有提升，话题也更加丰富，即便是已经学过的话题，再次涉及时也选择用更复杂的句型和更丰富的词汇加以输出，让学习者可以尽快获得成就感，这也是编者的初衷。学完这一级别，学习者应该可以顺利通过HSK（四级）考试，继续稳步提高汉语水平。同时，从听说读写四个方面为学习者步入中级阶段——五级打下扎实、牢固的基础。

目　录

1 简单的爱情

一、听 力

第一部分 01-1

第 1–5 题：判断对错。

例如： 我想去办个信用卡，今天下午你有时间吗？陪我去一趟银行？

★ 他打算下午去银行。 （ √ ）

现在我很少看电视，其中一个原因是，广告太多了，不管什么时间，也不管什么节目，只要你打开电视，总能看到那么多的广告，浪费我的时间。

★ 他喜欢看电视广告。 （ × ）

1. ★ 他们俩是在公司认识的。 （ ）

2. ★ 妻子希望丈夫天天送她礼物。 （ ）

3. ★ 踢足球需要球员们一起努力。 （ ）

4. ★ 爱情不需要浪漫。 （ ）

5. ★ 不要总是羡慕别人。 （ ）

第二部分 01-2

第 6–12 题：请选出正确答案。

例如：女：该加油了，去机场的路上有加油站吗？

男：有，你放心吧。

问：男的主要是什么意思？

A 去机场　　B 快到了　　C 油是满的　　D 有加油站 √

6. A 丈夫和妻子　　B 妈妈和儿子　　C 爸爸和女儿　　D 姐姐和弟弟

7. A 很感动　　B 很突然　　C 很高兴　　D 很满意

8. A 很幽默　　B 很难过　　C 很奇怪　　D 很简单

9. A 聪明　　B 爱干净　　C 可爱　　D 漂亮

10. A 性格　　B 爱情　　C 电影　　D 工作

11. A 更瘦了　　B 更黑了　　C 更热情了　　D 更好看了

12. A 旅游　　B 体育　　C 法律　　D 数学

第三部分 01-3

第 13–22 题：请选出正确答案。

例如：男：把这个材料复印 5 份，一会儿拿到会议室发给大家。

女：好的。会议是下午三点吗？

男：改了。三点半，推迟了半个小时。

女：好，602 会议室没变吧？

男：对，没变。

问：会议几点开始？

A 两点　B 3 点　C 15：30 √　D 18：00

13. A 看电影　B 买票　C 去学校　D 见朋友

14. A 今天　B 7 号　C 星期六　D 10 号

15. A 要加班　B 感冒了　C 要去游泳　D 要去银行

16. A 很满意　B 生气了　C 忘带钱了　D 衬衫需要洗

17. A 还没结婚　B 正准备结婚　C 结婚三年了　D 结婚没多久

18. A 丈夫和妻子　B 老师和学生　C 司机和客人　D 哥哥和妹妹

19. A 感动　B 爱情　C 一个人没意思　D 两个人适合

20. A 相信自己　B 不要生气　C 早点儿回家　D 互相关心

21. A 很自然　B 很普通　C 会开玩笑　D 没意思

22. A 让人快乐　B 特别客气　C 做事认真　D 没有缺点

二、阅 读

第一部分

第 23–26 题：选词填空。

A 自然　　B 缺点　　C 互相　　D 坚持　　E 生活

例如：她每天都（ D ）走路上下班，所以身体一直很不错。

23. （　　）中少了幽默，就像菜里忘了加盐（yán，salt），总是让人觉得少了些什么。

24. 一些人不吃早饭就去上学或上班，时间长了，（　　）会影响健康。

25. 刚开学，大家都还不太熟悉，请你们每个人都介绍一下自己，（　　）认识认识。

26. 他的聪明、幽默深深地吸引了我。虽然他也有一些（　　），但我还是认为他是最可爱的人，和他在一起很幸福。

第 27–30 题：选词填空。

A 俩　　B 最好　　C 温度　　D 刚　　E 够

例如：A：今天真冷啊，好像白天最高（　C　）才 2℃。

B：刚才电视里说明天更冷。

27. A：你买水果了吗？

B：这是我（　　）买的苹果，都洗干净了，吃点儿吧。

28. A：我钱包里只有 270 多块钱，可能不（　　）。

B：没关系，我这儿有信用卡。

29. A：咱们把床往后面搬一下，这样看电视更舒服些。

B：别开玩笑了，我们俩搬不动，（　　）等你爸爸回来再说。

30. A：那个男孩子不但长得好，而且性格也不错，我从来没见他和谁发过脾气。如果你愿意，这个周末我就介绍你们（　　）认识，好不好？

B：你把我的 QQ 号给他，我们先在网上聊聊吧。

第二部分

第 31–34 题：排列顺序。

例如：A　可是今天起晚了

B　平时我骑自行车上下班

C　所以就打车来公司　　　　B A C

31.　A　茶不仅仅是一种饮料

B　它在中国有着几千年的历史

C　而且还是一种文化　　　　________

32.　A　所以我对她的印象很深

B　她就对我特别热情

C　第一次和王小姐见面　　　　________

33.　A　我觉得他很多地方都不错

B　这一点是他吸引我的主要原因

C　特别是脾气、性格很好　　　　________

34.　A　它更需要两个人互相理解和接受

B　结婚我认为只有爱情是远远不够的

C　不但要接受他的优点，还要接受他的缺点　　　　________

第三部分

第35–43题：请选出正确答案。

例如：她很活泼，说话很有趣，总能给我们带来快乐，我们都很喜欢和她在一起。

★ 她是个什么样的人？

A 幽默 √　　B 马虎　　C 骄傲　　D 害羞

35. 男人和女人是不一样的。在工作中，如果男人遇到了不高兴的事，他回到家不喜欢跟妻子说，但是女人很喜欢。

★ 女人在工作中遇到不高兴的事，会：

A 哭　　B 跟丈夫说　　C 请朋友帮忙　　D 去买东西

36. 我女朋友是个很幽默的人，在生活上也比较喜欢浪漫，我们俩认识两年了，今年我们打算结婚。

★ 根据这段话，可以知道他女朋友：

A 害怕结婚　　B 喜欢浪漫　　C 爱穿裙子　　D 有点儿生气

37. 两个人在一起要有共同的爱好、兴趣，对一些事情有一样的想法。如果说一对夫妻缺少或者没有共同的想法，那问题可能就大了。

★ 根据这段话，丈夫与妻子需要：

A 互相关心　　B 经常聊天儿　　C 有共同的想法　　D 照顾老人

38. 你有一个苹果，我有一个香蕉，把我的给你，把你的给我，每个人还是只有一个水果；你有一个想法，我有一个想法，把我的告诉你，把你的告诉我，每个人就有了两个想法。

★ 这段话的主要意思是：

A 要关心别人　　B 要多吃水果　　C 聊天儿很重要　　D 做事情要认真

39. 生活中有这样两种人：一种总是看别人怎么生活，另一种喜欢生活给别人看。其实，每个人有每个人的生活，不用羡慕他人，也不用担心别人怎么想，只要用心走好自己的路，幸福就在身边。

★ 根据这段话，我们应该：

A 学会说“不” B 担心别人 C 羡慕别人 D 过好自己的生活

40–41.

世界上最重要的三种关系是家人、朋友和爱人。每个人一出生就跟家人在一起生活，是最重要的一种关系；从三四岁的小孩子到七八十岁的老人，每个人都需要朋友，离开朋友，我们的生活一定会非常没意思；人的一生，和你在一起时间最长的人是你的爱人，和你一起生活，一起解决问题。

★ 根据这段话，可以知道一个人跟家人的关系：

A 有很多问题 B 不能自己选择 C 不容易说清楚 D 非常没意思

★ 这段话主要是说：

A 人和人的关系 B 生活的想法 C 工作的问题 D 学习的方法

42–43.

我们的一生中会遇到一件非常重要的事情，那就是结婚，选择跟自己爱的人在一起生活。在结婚以前，我们都要想清楚自己想要的是什么，不要被别人的想法影响，因为没有人能把幸福的生活送给你。幸福就是你和你爱的人在一起，共同生活，而且在心里感到快乐。

★ 结婚以前，我们应该：

A 休息好 B 让别人了解 C 问问家人 D 知道自己要什么

★ 根据这段话，结婚以后幸福的原因是：

A 互相理解 B 互相关心 C 有新鲜感 D 找到了你爱的人

三、书写

第一部分

第44–48题：完成句子。

例如：那座桥　800年的　历史　有　了

　　那座桥有800年的历史了。

44.　会跳舞　的　人　羡慕　很　她

45.　衣服　你　换　一件　最好

46.　请假的　知道　经理　原因　没人

47.　俩　没　参加　考试　她们

48.　自行车　送给我　他　把　那辆　了

第二部分

第 49–50 题：看图，用词造句。

例如：乒乓球　她很喜欢打乒乓球。

49. 幸福

50. 俩

2 真正的朋友

一、听 力

第一部分 02-1

第 1–5 题：判断对错。

例如：我想去办个信用卡，今天下午你有时间吗？陪我去一趟银行？

★ 他打算下午去银行。 （ √ ）

现在我很少看电视，其中一个原因是，广告太多了，不管什么时间，也不管什么节目，只要你打开电视，总能看到那么多的广告，浪费我的时间。

★ 他喜欢看电视广告。 （ × ）

1. ★ 平时要多跟朋友联系。 （ ）

2. ★ 发短信很麻烦。 （ ）

3. ★ 对朋友要热情。 （ ）

4. ★ 幽默的人容易交朋友。 （ ）

5. ★ 毕业让人又高兴又难过。 （ ）

第二部分 02-2

第6–12题：请选出正确答案。

例如：女：该加油了，去机场的路上有加油站吗？

男：有，你放心吧。

问：男的主要是什么意思？

A 去机场 B 快到了 C 油是满的 D 有加油站 √

6. A 逛街 B 买礼物 C 在附近走走 D 去楼下买东西

7. A 机场 B 医院 C 火车站 D 图书馆

8. A 火车上 B 火车站 C 超市 D 出租车上

9. A 爱游泳 B 喜欢踢足球 C 喜欢打电话 D 每周都打球

10. A 希望接他 B 希望送他 C 不用接他 D 不用送他

11. A 非常感谢 B 不用帮忙 C 不搬了 D 太麻烦

12. A 都写对了 B 检查好了 C 写错了 D 没写完

第三部分 02-3

第 13–22 题：请选出正确答案。

例如：男：把这个材料复印 5 份，一会儿拿到会议室发给大家。

女：好的。会议是下午三点吗？

男：改了。三点半，推迟了半个小时。

女：好，602 会议室没变吧？

男：对，没变。

问：会议几点开始？

A 两点　B 3 点　C 15：30 √　D 18：00

13. A 学生　B 医生　C 老师　D 司机

14. A 骑车　B 坐车　C 跑步　D 走路

15. A 很麻烦　B 有问题　C 天气冷　D 衣服多

16. A 爬山　B 逛街　C 洗澡　D 游泳

17. A 同学　B 邻居　C 师生　D 男女朋友

18. A 结婚了　B 毕业了　C 买新房子了　D 当经理了

19. A 很一般　B 很奇怪　C 很漂亮　D 不好看

20. A 累坏了　B 很瘦　C 爱干净　D 爱运动

21. A 很好　B 经常聊天儿　C 不联系　D 像一家人一样

22. A 邻居的爱好　B 和邻居的关系　C 交朋友的好处　D 城市里的生活

二、阅 读

第一部分

第 23–26 题：选词填空。

A 陪　　B 而　　C 及时　　D 坚持　　E 友谊

例如：她每天都（　D　）走路上下班，所以身体一直很不错。

23. 如果有什么问题，请（　　）与我们联系。

24. 有人说，（　　）就像酒一样，时间越长越好。

25. 我们不应该总是看到别人的缺点，（　　）应该多学习别人做得好的地方。

26. 有时候，吃完晚饭，爸爸会（　　）着爷爷奶奶去附近的公园走走。

第 27–30 题：选词填空。

A 逛　　B 差不多　　C 温度　　D 联系　　E 适应

例如：A：今天真冷啊，好像白天最高（　C　）才 2℃。

B：刚才电视里说明天更冷。

27.　A：你是南方人，能（　　）北京的生活吗？

B：没问题，我已经在北京上了四年大学了。

28.　A：喂，你现在在哪儿呢？

B：我和同事在外面（　　）街呢，马上就回去。

29.　A：周末的同学聚会你参加吗？

B：当然，有几个同学毕业后就没（　　）了，正好借这个机会见见。

30.　A：王老师，您是北方人吧？

B：对，我是北京人，来南方工作（　　）十年了。

第二部分

第 31–34 题：排列顺序。

例如：A　可是今天起晚了
　　　B　平时我骑自行车上下班
　　　C　所以就打车来公司　　　　　　　　　　B A C

31.　A　我慢慢适应了这里的生活
　　　B　来北京半年多了
　　　C　也交到了许多朋友　　　　　　　　　　＿＿＿＿

32.　A　这个城市的空气却好了很多
　　　B　昨天中午下了一小会儿雨
　　　C　虽然不大　　　　　　　　　　　　　　＿＿＿＿

33.　A　当大多数人都在关心你飞得高不高时
　　　B　这少数人，才是你的朋友
　　　C　只有少数人关心你飞得累不累　　　　　＿＿＿＿

34.　A　只有朋友会在你最困难的时候帮助你
　　　B　但金钱却买不来友情
　　　C　尽管金钱是不可少的　　　　　　　　　＿＿＿＿

第三部分

第 35–43 题：请选出正确答案。

例如：她很活泼，说话很有趣，总能给我们带来快乐，我们都很喜欢和她在一起。

★ 她是个什么样的人？

A 幽默 √　　B 马虎　　C 骄傲　　D 害羞

35. 一个脾气不好的人虽然不一定让人讨厌，但是却很难跟人交朋友。因为没有人会喜欢跟一个总是容易生气的人在一起。

★ 脾气不好的人：

A 喜欢交流　　B 朋友很多　　C 容易生气　　D 让人讨厌

36. 刚到一个新环境，有很多种方法可以使自己快一点儿适应。例如多交朋友，多与别人交流，多参加一些活动，等等。

★ 怎样才能更快地适应新环境？

A 经常逛街　　B 多运动　　C 经常旅行　　D 跟人聊天儿

37. 什么是"及时雨"？其实很好理解，好长时间没下雨了，天气非常干，这时下了场大雨，我们就认为这场雨很及时。如果你正需要朋友的帮助，朋友就出现了，这个朋友就是你的"及时雨"。

★ 这段话主要想告诉我们什么？

A "及时雨"的意思　　B 水很重要

C 应该多交朋友　　D 天气不好

38. 十几年没见的老同学今天终于再次见面了。尽管每个人的变化都很大，但不变的是友情，大家都非常高兴，好像有说不完的话。

★ 根据这段话，老同学见面时：

A 很少交流　　B 都很高兴　　C 变化不大　　D 互相不认识了

39. 我叫李新。今天上午在食堂发现我的学生证不见了，上面有我的姓名和学号。如果有同学看见了我的学生证，请与我联系，非常感谢。

★ 他写这段话是为了：

A 找回饭卡　　B 找回图书证　　C 找回学生证　　D 找回钱包

40–41.

小王正忙着准备搬家。邻居问："你要搬到哪里去？"小王回答："我要搬到别的城市去。"邻居又问："这里住得好好的，为什么要搬呢？"小王回答："你不知道，这里的人都讨厌我说话，说我说话太难听，所以我必须搬家。"邻居说："为什么不试着改变你说话的方法呢？如果你不改变说话的方法，就算搬到别的城市去，那里的人也一样会讨厌你。"

★ 小王为什么要搬家？

A 房子坏了　　B 别的城市空气好
C 大家讨厌他　　D 人们太热情

★ 邻居的话的意思是：

A 应该改变自己　　B 同意搬家
C 以后别说话了　　D 也讨厌这里的人

42–43.

你对别人好，别人也会对你好。实际上，我们很多人做不到这一点。当别人跟我们的想法不一样时，我们总是想让别人听自己的。但是每个人都有自己的生活，谁都不能把自己的想法加在别人身上。试着理解他人的想法与生活习惯，更多地帮助他们，你会发现，他们也会觉得你很好，也会真的对你好。

★ 发现别人的想法和自己不一样时，应该：

A 跟他交朋友　　B 了解他　　C 理解他　　D 跟他学习

★ 这段话主要告诉我们什么？

A 要相信别人　　B 怎样对别人好　　C 人都有缺点　　D 什么是友谊

三、书写

第一部分

第 44–48 题：完成句子。

例如：那座桥　800 年的　历史　有　了

那座桥有 800 年的历史了。

44.　幽默的人　交到　朋友　更　容易

45.　还有　联系　你和　大学同学　吗

46.　最好　重新　一下　检查　你

47.　互相　理解　朋友　之间　要

48.　我　陪叔叔　去长城　看看　打算

第二部分

第 49-50 题：看图，用词造句。

例如：乒乓球　她很喜欢打乒乓球。

49. 交流

50. 毕业

3 经理对我印象不错

一、听力

第一部分 03-1

第 1–5 题：判断对错。

例如：我想去办个信用卡，今天下午你有时间吗？陪我去一趟银行？

★ 他打算下午去银行。 （ √ ）

现在我很少看电视，其中一个原因是，广告太多了，不管什么时间，也不管什么节目，只要你打开电视，总能看到那么多的广告，浪费我的时间。

★ 他喜欢看电视广告。 （ × ）

1. ★ 他在等面试通知。 （ ）

2. ★ 小林正在找工作。 （ ）

3. ★ 面试时必须准时到。 （ ）

4. ★ 他去过很多国家。 （ ）

5. ★ 马经理告诉大家他很满意。 （ ）

第二部分 03-2

第 6–12 题：请选出正确答案。

例如：女：该加油了，去机场的路上有加油站吗？

男：有，你放心吧。

问：男的主要是什么意思？

A 去机场　B 快到了　C 油是满的　D 有加油站 √

6. A 明天上午　B 明天下午　C 后天上午　D 后天下午

7. A 买衣服　B 招聘人　C 约会　D 聚会

8. A 长得很帅　B 不太认真　C 专业不对　D 符合要求

9. A 有信心　B 有能力　C 很紧张　D 不诚实

10. A 时间变了　B 地方变了　C 不举行了　D 马经理不参加了

11. A 王律师　B 方律师　C 王老师　D 方老师

12. A 能力差　B 不认真　C 不诚实　D 没热情

第三部分 03-3

第13–22题：请选出正确答案。

例如：男：把这个材料复印5份，一会儿拿到会议室发给大家。

女：好的。会议是下午三点吗？

男：改了。三点半，推迟了半个小时。

女：好，602会议室没变吧？

男：对，没变。

问：会议几点开始？

A 两点　　B 3点　　C 15：30 √　　D 18：00

13. A 还没毕业　　B 不想上班　　C 找到工作了　　D 九月七号上班

14. A 去约会了　　B 去面试了　　C 去吃饭了　　D 去看病了

15. A 可爱　　B 漂亮　　C 客气　　D 认真

16. A 还没准备　　B 准备好了　　C 小张负责　　D 经理负责

17. A 有约会　　B 要去面试　　C 要去招聘会　　D 要参加聚会

18. A 人不多　　B 变化大　　C 工作机会多　　D 环境不错

19. A 找人帮忙　　B 马上去做　　C 先想清楚　　D 必须办成

20. A 要学会说“不”　　B 要努力工作　　C 要帮助朋友　　D 做事情要认真

21. A 总是对的　　B 不容易改变　　C 不重要　　D 样子最重要

22. A 爱情　　B 生活　　C 同事关系　　D 第一印象

二、阅读

第一部分

第 23–26 题：选词填空。

A 能力　B 通知　C 留　D 坚持　E 首先

例如：她每天都（ D ）走路上下班，所以身体一直很不错。

23. 那位女服务员给我们（　　）下了很深的印象。

24. 不管别人怎么说，（　　）你要对自己有信心。

25. 会议改到明天下午两点半开，你去（　　）一下班里的其他人。

26. 一个人（　　）的提高，需要长时间的学习。

第27–30题：选词填空。

A 安排　　B 准时　　C 温度　　D 挺　　E 正式

例如：A：今天真冷啊，好像白天最高（ C ）才2℃。

B：刚才电视里说明天更冷。

27. A：你来得真够（　　）的，正好8点。

B：这就好，我还以为迟到了。

28. A：最近怎么穿得这么（　　）？

B：我现在开始上班了，这是公司的要求。

29. A：希望我们的工作能让您满意。

B：我非常满意，一切都（　　）得很好，谢谢你们。

30. A：这个手机好用吗？

B：（　　）好的，就像电视上说的“用过的都说好，没用过的都在找”。

第二部分

第 31–34 题：排列顺序。

例如：A 可是今天起晚了

B 平时我骑自行车上下班

C 所以就打车来公司

B A C

31. A 时间太长也会影响健康

B 医生说，午饭后不要马上睡午觉

C 另外，午睡的时间不要过长

____

32. A 不管在外面的世界遇到什么困难

B 家都是我们心中最幸福的地方

C 因为我们总是能够在家里找到爱

____

33. A 我觉得他这个人挺不错的

B 这一点是他受大家欢迎的主要原因

C 首先是他非常愿意帮助人

____

34. A 首先，你要学好你的法律专业

B 你想以后当一名律师吗

C 其次，你要有一个好的身体

____

第三部分

第35–43题：请选出正确答案。

例如：她很活泼，说话很有趣，总能给我们带来快乐，我们都很喜欢和她在一起。

★ 她是个什么样的人？

A 幽默 √　　B 马虎　　C 骄傲　　D 害羞

35. 上午来应聘的那个小伙子是学法律的，笔试成绩很好，经过面试，感觉他的性格也不错，我觉得他挺适合这份工作的。

★ 他觉得那个小伙子怎么样？

A 很帅　　B 性格好　　C 不诚实　　D 能力一般

36. 应聘时，一定要试着让自己别紧张。回答问题时，不要太快，声音也不要太小，别让紧张的心情影响了自己。

★ 面试时要注意什么？

A 别太紧张　　B 要有礼貌　　C 回答问题要快　　D 声音不能太大

37. 听说这周六上午8点在学校体育馆有个招聘会，这次招聘会提供差不多1000个工作机会，咱们一起去看看吧。

★ 关于这场招聘会，可以知道：

A 改时间了　　B 改地方了　　C 在体育馆　　D 还没安排好

38. 小高，我仔细看了一下，他们这次招聘的要求虽然高，但是那些条件你都符合，你应该去试试。

★ 说话人想让小高：

A 去约会　　B 认真考试　　C 去跟朋友见面　　D 去应聘

39. 院长，我昨天跟他电话里聊了聊，我感觉他很愿意来我们医院工作，但是他要下个月才能回国，所以我想等他回来再约他来见见您。

★ 关于说话人，可以知道：

A 在参加面试　　B 在学校工作　　C 在医院工作　　D 在国外工作

40–41.

有些人喜欢不停地换工作，他们总以为新工作一定比现在的好。实际上，一般情况下，适应一个新的工作需要一年时间，因此，经常换工作不一定好，认真把一份工作做到最好才是正确的选择。

★ 有些人经常换工作是因为他们：

A 喜欢变化　　B 特别努力　　C 没有能力　　D 相信新工作更好

★ 这段话主要告诉我们什么？

A 要经常换工作　　B 适应新工作很快

C 新工作更好　　D 不要着急换工作

42–43.

《富爸爸，穷爸爸》讲了这样一个故事，"我"的爸爸没有钱，是个穷爸爸；朋友的爸爸是个富爸爸，很有钱。两位爸爸对金钱的看法完全不同，这使"我"对金钱有了兴趣，最终，"我"接受了朋友爸爸的看法，也就是书中所说的"富爸爸"的看法：人们不应该为钱工作，而要让钱为我们工作。

★ 这本书中的"穷爸爸"是指：

A 钱　　B 工作　　C "我"的爸爸　　D 朋友的爸爸

★"富爸爸"对金钱的看法是：

A 为钱工作　　B 钱并不重要　　C 钱让人快乐　　D 让钱为我们服务

三、书 写

第一部分

第 44–48 题：完成句子。

例如：那座桥　800 年的　历史　有　了

那座桥有 800 年的历史了。

44.　通知　大家　高校长让我　下午两点开会

45.　改变　第一印象　很　一般　难

46.　两名服务员　招聘　楼下的　要　超市

47.　安排　时间　得　紧张　很

48.　印象　那位司机　很深的　给我　留下了

第二部分

第 49–50 题：看图，用词造句。

例如：  乒乓球 她很喜欢打乒乓球。

49.  安排

50.  准时

4 不要太着急赚钱

一、听力

第一部分 04-1

第 1–5 题：判断对错。

例如：我想去办个信用卡，今天下午你有时间吗？陪我去一趟银行？

★ 他打算下午去银行。 （ √ ）

现在我很少看电视，其中一个原因是，广告太多了，不管什么时间，也不管什么节目，只要你打开电视，总能看到那么多的广告，浪费我的时间。

★ 他喜欢看电视广告。 （ × ）

1. ★ 小张的计划书写得很好。 （ ）

2. ★ 他们今天不用加班。 （ ）

3. ★ 李经理不在上海。 （ ）

4. ★ 经理明天去火车站接人。 （ ）

5. ★ 现在是十点一刻。 （ ）

第二部分 04-2

第 6-12 题：请选出正确答案。

例如：女：该加油了，去机场的路上有加油站吗？

男：有，你放心吧。

问：男的主要是什么意思？

A 去机场　　B 快到了　　C 油是满的　　D 有加油站 √

	A	B	C	D
6.	A 很聪明	B 有经验	C 太紧张	D 爱锻炼
7.	A 写得很好	B 还没写完	C 都写对了	D 需要改改
8.	A 应聘	B 招聘	C 约会	D 上课
9.	A 不开了	B 没通知	C 提前了	D 改地方了
10.	A 经理	B 小李	C 女的	D 小丽
11.	A 买汽车了	B 当经理了	C 生意谈成了	D 要结婚了
12.	A 工资少	B 想多陪孩子	C 没有奖金	D 和同事关系不好

第三部分 04-3

第13-22题：请选出正确答案。

例如：男：把这个材料复印5份，一会儿拿到会议室发给大家。

女：好的。会议是下午三点吗？

男：改了。三点半，推迟了半个小时。

女：好，602会议室没变吧？

男：对，没变。

问：会议几点开始？

A 两点　　B 3点　　C 15：30 √　　D 18：00

13. A 身体有问题　B 生意没谈成　C 事情很顺利　D 男的很高兴

14. A 太累　B 收入高　C 能积累经验　D 会影响学习

15. A 不难　B 时间短　C 不太顺利　D 不太正式

16. A 开会　B 看手机　C 打电话　D 看电视

17. A 搬走了　B 生意不好　C 牛奶不好　D 不提供牛奶了

18. A 做生意很简单　B 别做生意了　C 多积累经验　D 做生意太辛苦了

19. A 工资多少　B 自己的缺点　C 自己的水平　D 自己想干什么

20. A 赚多少钱　B 上班时间　C 积累经验　D 公司大小

21. A 想当医生　B 经验不够　C 专业是法律　D 没有信心

22. A 参加面试　B 跟朋友聊天儿　C 约会　D 面试别人

二、阅 读

第一部分

第 23–26 题：选词填空。

A 份　　B 赚　　C 经验　　D 坚持　　E 完全

例如：她每天都（ D ）走路上下班，所以身体一直很不错。

23. 虽然遇到了很多困难，但这也让他积累了很多（　　）。

24 非常感谢您给我提供这（　　）材料。

25. 他（　　）有能力做好这件事，但他没有认真去做。

26. 他这些年做生意（　　）了不少钱，还拿出很多去帮助那些有困难的人。

第27-30题：选词填空。

A 感谢　　B 提醒　　C 温度　　D 工资　　E 按时

例如：A：今天真冷啊，好像白天最高（ C ）才2℃。

B：刚才电视里说明天更冷。

27.　A：这个月的（　　）和奖金，一共8000元，昨天上午已经打到您卡里了。

B：好的，谢谢你。

28.　A：小马，真的很（　　）你这么多天对我们的照顾。

B：不客气，能帮到你们，我很高兴。

29.　A：那份计划书明天下午交，你写好了没？

B：还差一点儿，您放心，我保证（　　）完成。

30.　A：后天的会议改到明天下午了，你通知小王了没有？

B：还没呢，一上午都在忙。你不（　　）的话，我还真可能忘了。

第二部分

第 31–34 题：排列顺序。

例如：A　可是今天起晚了
　　　B　平时我骑自行车上下班
　　　C　所以就打车来公司　　　　　　　　B A C

31.　A　可是早上突然下起了大雨
　　　B　我本来准备今天上午和朋友一起去踢足球
　　　C　我们不得不改变了计划　　　　　　______

32.　A　我打算毕业以后
　　　B　为以后自己做生意积累一些经验
　　　C　先在叔叔开的公司里工作一段时间　　______

33.　A　因为大家今年工作完成得非常好
　　　B　所以按照经理的要求，每人发 8000 元奖金
　　　C　另外每人还发给一个电脑　　　　　　______

34.　A　意思是不管多远的路，都要从脚下这一步开始
　　　B　人们常说“千里之行，始于足下”
　　　C　也就是说，一切成功都是慢慢积累起来的　　______

第三部分

第 35–43 题：请选出正确答案。

例如：她很活泼，说话很有趣，总能给我们带来快乐，我们都很喜欢和她在一起。

★ 她是个什么样的人？

A 幽默 √　B 马虎　C 骄傲　D 害羞

35. 告诉大家一个好消息，经过会议讨论决定，公司这个月每人多发 5000 元的奖金，感谢大家这半年来的辛苦工作。

★“好消息”指的是：

A 不用加班　B 明天休息　C 多发奖金　D 经理要请客

36. 为了不让自己手忙脚乱，我有这样一个习惯——每天早上都把当天计划要干的事情写在纸上，安排好时间，一个一个完成。

★ 他习惯每天早上：

A 看电视　B 看电脑　C 锻炼身体　D 做好计划

37. 谢谢大家这一年来对我的关心和帮助，在这儿我学到了很多知识，也积累了很多经验，我感到非常高兴。希望将来还能有机会和大家一起学习。

★ 根据这段话，可以知道他：

A 不爱学习　B 在感谢别人　C 很关心别人　D 跟同事关系不好

38. 妻子当上经理后，工作比以前更辛苦了，经常要加班，有时忙起来，连节假日也不能休息。但是现在的工作让她的能力有了很大的提高，她忙在其中，也乐在其中。

★ 妻子当上经理以后：

A 更忙了　B 不高兴　C 经常休息　D 不想工作了

39. 找工作时，我们首先应该对自己有清楚的认识，不仅要知道自己想做什么，还要按照自己的性格、爱好去判断什么样的工作适合自己，这样才能找到满意的工作。

★ 找工作时，应该：

A 先调查　　B 问问朋友　　C 让父母满意　　D 先认清自己

40–41.

赚钱并不是最重要的。年轻人在工作的前几年，不要眼睛里只有工资和奖金，更重要的是丰富自己的工作经验，学习与同事们交流的方法，积累专业知识，还有，要懂得提高自己。这些比收入重要多了。

★ 年轻人刚开始工作时什么更重要？

A 经验　　B 友谊　　C 收入　　D 知识

★ 这段话主要提醒刚参加工作的年轻人：

A 人都有缺点　　B 要相信别人　　C 不要只看眼前　　D 收入更重要

42–43.

小李，你这份材料写得不错，特别是公司这一年取得的成绩，写得非常好。但是还有几个地方需要改一下，比如一些大事发生的时间等。我都帮你画出来了，你改完再重新发给我看一下。

★ 关于这份材料，可以知道：

A 有点儿短　　B 太长了　　C 写得一般　　D 有不对的地方

★ 他希望小李：

A 多写点儿　　B 再改改　　C 按时完成　　D 画出来

三、书 写

第一部分

第 44–48 题：完成句子。

例如：那座桥　800 年的　历史　有　了

那座桥有 800 年的历史了。

44.　计划　原来的　不得不　改变　他

45.　能力　重要　比知识　更

46.　保证　我　完成　按时　工作

47.　很快就被　朋友们　这个消息　知道了

48.　经验　积累了　丰富的　我在工作中

第二部分

第 49–50 题：看图，用词造句。

例如：乒乓球 她很喜欢打乒乓球。

49. 消息

50. 计划

5 只买对的，不买贵的

一、听力

第一部分 05-1

第 1–5 题：判断对错。

例如： 我想去办个信用卡，今天下午你有时间吗？陪我去一趟银行？

★ 他打算下午去银行。 （ √ ）

现在我很少看电视，其中一个原因是，广告太多了，不管什么时间，也不管什么节目，只要你打开电视，总能看到那么多的广告，浪费我的时间。

★ 他喜欢看电视广告。 （ × ）

1. ★ 他们正在请客。 （　　）

2. ★ 他对那条裙子很满意。 （　　）

3. ★ 小王说明天会还钱。 （　　）

4. ★ 网上购物比较麻烦。 （　　）

5. ★ 那家店为顾客送家具。 （　　）

第二部分 05-2

第 6–12 题：请选出正确答案。

例如：女：该加油了，去机场的路上有加油站吗？

男：有，你放心吧。

问：男的主要是什么意思？

A 去机场　B 快到了　C 油是满的　D 有加油站 √

6. A 沙发　B 椅子　C 冰箱　D 桌子

7. A 很好看　B 很贵　C 不适合她　D 不流行

8. A 20 块　B 30 块　C 40 块　D 60 块

9. A 比较贵　B 质量差　C 颜色不好　D 样子难看

10. A 17 号　B 第二天　C 下周五　D 生日那天

11. A 搬不动　B 很满意　C 先别着急买　D 带的钱不够

12. A 他们在客厅　B 女的在借钱　C 男的没带钱　D 男的想刷卡

第三部分 05-3

第13–22题：请选出正确答案。

例如：男：把这个材料复印5份，一会儿拿到会议室发给大家。

女：好的。会议是下午三点吗？

男：改了。三点半，推迟了半个小时。

女：好，602会议室没变吧？

男：对，没变。

问：会议几点开始？

A 两点　B 3点　C 15：30 √　D 18：00

13. A 家里　B 商场　C 超市　D 银行

14. A 星期天　B 明天　C 今天　D 月底

15. A 蓝色　B 白色　C 绿色　D 红色

16. A 价格高　B 质量差　C 不干净　D 不适合他

17. A 冰箱　B 空调　C 家具　D 洗衣机

18. A 啤酒　B 饮料　C 牛奶　D 水

19. A 很旧　B 正在打折　C 有几种颜色　D 质量不好

20. A 只有黑色　B 蓝色和白色　C 黑色和白色　D 蓝色和黑色

21. A 裤子　B 袜子　C 衬衫　D 帽子

22. A 停电了　B 卡里钱不够　C 没带银行卡　D 刷卡机坏了

二、阅 读

第一部分

第 23–26 题：选词填空。

A 效果　B 打折　C 顺便　D 坚持　E 肯定

例如：她每天都（ D ）走路上下班，所以身体一直很不错。

23. 现在坐电梯的人（　）很多，咖啡馆就在二层，我们走上去吧。

24. 那件衣服（　）后只要 80 元，很便宜。

25. 你去买啤酒吗？（　）帮我买一盒牛奶吧。

26. 这张山水画放在房间里（　）肯定不错，就买它了。

第 27–30 题：选词填空。

A 样子　B 浪费　C 温度　D 质量　E 家具

例如：A：今天真冷啊，好像白天最高（ C ）才 2℃。

B：刚才电视里说明天更冷。

27. A：爷爷，您换洗衣机了？

B：不光是洗衣机，你去房间里看看，我把（　　）也换了。

28. A：还有这么多菜没吃完，太（　　）了。

B：那把服务员叫来，我们都带回去吧。

29. A：看（　　）你对这里很熟悉。

B：当然了，我在这儿生活了差不多十年，去年才搬走的。

30. A：你这双鞋在哪儿买的？看上去（　　）不错。

B：我也不知道，我爱人给我买的。

第二部分

第 31–34 题：排列顺序。

例如： A 可是今天起晚了

B 平时我骑自行车上下班

C 所以就打车来公司 B A C

31\. A 另外，价格还便宜

B 现在网上购物很流行

C 你在网上买的东西会送到你办公室或者家里 ________

32\. A 这儿离地铁站很近，附近也有很多公共汽车站

B 但房价可不便宜

C 所以，别看房子有点儿旧 ________

33\. A 但我还是一眼就认出了他

B 虽然毕业以后我们有 20 多年没见面了

C 因为他的样子几乎没什么变化 ________

34\. A 我打算送她一个

B 妹妹很早之前就想买个照相机

C 下个月一号正好她过生日 ________

第三部分

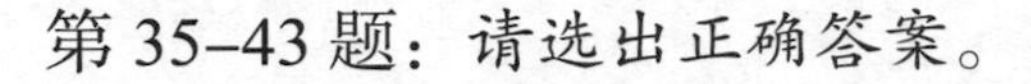
第35–43题：请选出正确答案。

例如：她很活泼，说话很有趣，总能给我们带来快乐，我们都很喜欢和她在一起。

★ 她是个什么样的人？

A 幽默 √　　B 马虎　　C 骄傲　　D 害羞

35. 现在在网上几乎什么都可以买到，你可以在网上买书、买鞋、买水果，你还可以在网上买沙发、买冰箱。大多数网上商店可以保证东西的质量。

★ 这段话主要介绍什么？

A 怎么上网　　B 网上购物　　C 电子邮件　　D 怎么做生意

36. 说话虽然是生活中很普通的事，却不简单，有很多地方要注意：别人的事，要小心地说；讨厌的事，要对事不对人地说；现在的事，做了再说；以后的事，以后再说；而不能肯定的事不要说。

★ 根据这段话，不能肯定的事：

A 和同事说　　B 多和朋友说　　C 要让邻居知道　　D 别说

37. 人们很容易被便宜的东西吸引，尤其在商家打折的时候，常常会购买一些自己本来不需要、很可能一直都用不到的东西。

★ 人们为什么会买一些不需要的东西？

A 质量好　　B 漂亮　　C 便宜　　D 不打折

38. 有些人喜欢根据别人的喜好来选购衣服，认为流行的就是好的，但实际上，真正适合自己的才是最好的。

★ 这段话告诉我们应该选什么样的衣服？

A 适合自己的　　B 样子流行的　　C 大家都满意的　　D 质量好的

39. 了解顾客的实际需要十分重要，一样东西，不管它质量多好、多便宜，如果顾客完全不需要它，我们就很难把它卖出去。

★ 除了质量和价格，顾客还会考虑：

A 商场的服务　　B 自己需要不需要

C 自己的购买能力　　D 商场的环境

40–41.

在节假日，我们经常会看到商场举办各种打折活动，这样做主要是为了吸引更多的顾客来购物。不过人们在购买的时候，不能只看价格，还应考虑买的东西是不是适合自己，是不是必须买。如果不适合自己，不是必须买，即使花钱再少也是一种浪费。

★ 节假日商场打折是为了：

A 吸引顾客　　B 保证质量

C 丰富人们的生活　　D 提高服务的水平

★ 根据这段话，买东西必须考虑：

A 质量好坏　　B 家人是否同意

C 有没有用　　D 自己的收入

42–43.

买衣服只考虑便宜当然不好，但是只买贵的也不一定对。我对衣服的要求：第一是要自己穿着舒服，第二是衣服的质量要好，而且又不能太贵。衣服的样子流行不流行，对我来说并不是很重要。很多年轻人买衣服只喜欢逛大商场，只买贵衣服，而对那些衣服是不是适合自己却不会考虑很多。这一点是我理解不了的。

★ 她认为，买衣服：

A 应该多调查　　B 舒服最重要　　C 要买打折的　　D 样子要流行

★ 根据这段话，可以知道什么？

A 便宜没好货　　B 约会别迟到　　C 要互相理解　　D 适合最重要

三、书 写

第一部分

第 44–48 题：完成句子。

例如：那座桥　　800 年的　　历史　　有　　了

那座桥有 800 年的历史了。

44.　不错　　这台　　质量　　洗衣机　　的

45.　不会　　肯定　　他　　同意你这么做

46.　流行的　　音乐　　这是现在　　最

47.　不得不　　他　　重新　　考虑这件事

48.　普通话　　不太　　我的　　说得　　标准

第二部分

第 49–50 题：看图，用词造句。

例如： 乒乓球 她很喜欢打乒乓球。

49. 打折

50. 沙发

6 一分钱一分货

一、听 力

第一部分 06-1

第 1–5 题：判断对错。

例如：我想去办个信用卡，今天下午你有时间吗？陪我去一趟银行？

★ 他打算下午去银行。 （ √ ）

现在我很少看电视，其中一个原因是，广告太多了，不管什么时间，也不管什么节目，只要你打开电视，总能看到那么多的广告，浪费我的时间。

★ 他喜欢看电视广告。 （ × ）

1. ★ 他想买面包。 （ ）

2. ★ 她想买些西红柿。 （ ）

3. ★ 他们在参加招聘会。 （ ）

4. ★ 现在的房子很贵。 （ ）

5. ★ 他想周日去买电脑。 （ ）

第二部分 06-2

第 6–12 题：请选出正确答案。

例如：女：该加油了，去机场的路上有加油站吗？

男：有，你放心吧。

问：男的主要是什么意思？

A 去机场　B 快到了　C 油是满的　D 有加油站 √

6. A 请假　B 唱歌　C 散步　D 买东西

7. A 老师　B 售货员　C 律师　D 出租车司机

8. A 家具店　B 体育馆　C 图书馆　D 洗手间

9. A 西红柿和香蕉　B 香蕉和葡萄　C 西红柿和葡萄　D 西红柿和苹果

10. A 300 元　B 500 元　C 700 元　D 1000 元

11. A 逛街　B 加班　C 打球　D 买礼物

12. A 在做生意　B 去旅游了　C 去逛街了　D 衣服旧了

第三部分 06-3

第13-22题：请选出正确答案。

例如：男：把这个材料复印5份，一会儿拿到会议室发给大家。

女：好的。会议是下午三点吗？

男：改了。三点半，推迟了半个小时。

女：好，602会议室没变吧？

男：对，没变。

问：会议几点开始？

A 两点　B 3点　C 15：30 √　D 18：00

13. A 她变胖了　B 衣服太贵　C 想买黄的　D 再试试白的

14. A 医生　B 老师　C 售货员　D 运动员

15. A 天气很冷　B 电梯坏了　C 女的去买东西　D 他们在逛街

16. A 不好看　B 不好用　C 很便宜　D 很好用

17. A 西红柿　B 蛋糕　C 鸡蛋　D 面条

18. A 衣服在打折　B 男的是律师　C 顾客不满意　D 裙子卖完了

19. A 冰箱　B 电视　C 空调　D 洗衣机

20. A 一个月　B 半年　C 一年　D 两年

21. A 很高兴　B 很难过　C 不感兴趣　D 很有礼貌

22. A 商店的　B 同事的　C 售货员的　D 一位顾客的

二、阅 读

第一部分

第 23–26 题：选词填空。

A 情况　B 获得　C 举办　D 坚持　E 所有

例如：她每天都（ D ）走路上下班，所以身体一直很不错。

23. 你应该学会说“不”，而不是（　　）的要求都接受。

24. 没想到她第一次参加比赛就（　　）了这么大的成功。

25. 您说的这个（　　）很重要，我们今天就安排人去调查。

26. 我们学校经常会（　　）一些活动来丰富学生们的生活。

第27–30题：选词填空。

A 支持　　B 方面　　C 温度　　D 竟然　　E 小说

例如：A：今天真冷啊，好像白天最高（　C　）才2℃。

B：刚才电视里说明天更冷。

27.　A：呀，你的这个行李箱（　　）跟我的完全一样。

B：那是我去年夏天买的，你是什么时候买的？

28.　A：这本（　　）很有意思，我差不多明天就能看完，后天见面时就可以还你。

B：不着急，你慢慢看，周末给我吧。

29.　A：王教授，感谢您对我们工作的（　　）。

B：别客气，这是我应该做的。

30.　A：你有没有李律师的电话？我想问他几个法律（　　）的问题。

B：有，我发到你手机上，你直接跟他联系就可以。

第二部分

第 31–34 题：排列顺序。

例如：A 可是今天起晚了

B 平时我骑自行车上下班

C 所以就打车来公司 B A C

31. A 现在只卖 300 块

B 原价是现在的两倍多呢，我找一件您试试吧

C 这种裙子今年非常流行，质量很好 ______

32. A 他是我大学时的同学

B 毕业后我们就再也没联系过

C 没想到中午我去取护照时竟然遇到他了 ______

33. A 但是他很诚实

B 小关的脾气有时候是有点儿差

C 是个值得相信的人 ______

34. A 这种情况下，就需要及时交流

B 两个人在一起，总会遇到问题

C 如果不这样的话，关系就可能会越来越远 ______

第三部分

第 35–43 题：请选出正确答案。

例如：她很活泼，说话很有趣，总能给我们带来快乐，我们都很喜欢和她在一起。

★ 她是个什么样的人？

A 幽默 √　B 马虎　C 骄傲　D 害羞

35. 实际上，售货员太热情地为顾客介绍这、介绍那，会让我觉得极不舒服。许多人在逛商场时喜欢自己看、自己选，而不愿意总是被别人打扰。

★ “我”在逛商场时：

A 觉得无聊　B 喜欢自己选　C 很少考虑价格　D 喜欢售货员介绍

36. 做生意讲的是“一分钱一分货”，意思是说货物的质量和价格有很大的关系，所以人们经常说“便宜没好货，好货不便宜”。

★ 一般情况下，贵的东西：

A 广告多　B 赚得多　C 不好卖　D 质量好

37. 每到换季或者节假日的时候，各大商场都会举办一些打折活动来吸引顾客。这样人们就能花很少的钱买到质量不错的东西，有时一样的东西甚至能比平时少花一半的钱。

★ 商场举办活动是为了：

A 检查质量　B 吸引顾客　C 举行招聘会　D 提高服务水平

38. 如果一个星期内发现有任何质量问题，我们都可以免费为您换，但是购物小票一定要留好。如果没有购物小票，我们是没法给您换的。

★ 说话人提醒他：

A 看购物小票　B 留着购物小票　C 一个月以内换　D 东西不能换

39. 小姐，这些菜是绿色食品，不仅很好吃，而且对身体也很有好处，所以价格要比其他菜贵一些。

★ 这些菜的特点是：

A 干净　　B 便宜　　C 味道不太好　　D 对身体好

40-41.

顾客朋友们，本超市现举行“购物送好礼”活动，购物满 100 元即可获得可乐一瓶，满 500 元可获得葡萄酒一瓶。另外，还有水果打折活动，其中，苹果 9 折，葡萄 8 折，香蕉、西瓜 6 折。欢迎选购！祝您购物愉快！

★ 购物满 100 元能获得什么礼物？

A 西红柿　　B 葡萄酒　　C 可乐　　D 西瓜

★ 根据这段话，可以知道：

A 超市生意很好　　B 葡萄酒半价　　C 有些水果打折　　D 饮料免费

42-43.

你卖的东西可不可以比别人卖的价格高？这主要要看东西的质量。如果质量比别人的好，那么价格比别人的贵一点儿也没关系。另外，环境和服务水平也很重要。质量完全一样的东西，但如果环境和服务更好，那么即使贵一点儿，大家也能接受。

★ 这段话主要想说明，质量好的东西可以：

A 卖得贵　　B 卖得快　　C 用得久　　D 很流行

★ 质量相同的东西，怎样能卖更高的价格？

A 做广告　　B 送礼物　　C 免费试用　　D 提高服务水平

三、书 写

第一部分

第 44–48 题：完成句子。

例如：那座桥　800 年的　历史　有　了

那座桥有 800 年的历史了。

44.　这双袜子　给我的　是　弟弟

45.　水　瓶子　的　满了　里

46.　饮料　火车上　不提供　免费的

47.　举行　这次电影艺术节　北京　会　在

48.　对　非常感谢您　理解和支持　我们工作的

第二部分

第 49–50 题：看图，用词造句。

例如： 乒乓球 她很喜欢打乒乓球。

49. 尝

50. 轻

7 最好的医生是自己

一、听 力

第一部分 07-1

第 1–5 题：判断对错。

例如：我想去办个信用卡，今天下午你有时间吗？陪我去一趟银行？

★ 他打算下午去银行。 （ √ ）

现在我很少看电视，其中一个原因是，广告太多了，不管什么时间，也不管什么节目，只要你打开电视，总能看到那么多的广告，浪费我的时间。

★ 他喜欢看电视广告。 （ × ）

1. ★ 他最近又胖了。 （　　）

2. ★ 春天容易感冒。 （　　）

3. ★ 女人都想过减肥。 （　　）

4. ★ 自己要对健康负责。 （　　）

5. ★ 睡太久对身体不好。 （　　）

第二部分 07-2

第 6–12 题：请选出正确答案。

例如：女：该加油了，去机场的路上有加油站吗？

男：有，你放心吧。

问：男的主要是什么意思？

A 去机场　　B 快到了　　C 油是满的　　D 有加油站 √

6. A 发烧了　　B 感冒了　　C 流鼻血了　　D 肚子疼

7. A 饿了　　B 胖了　　C 茶喝多了　　D 肚子不舒服

8. A 嘴　　B 牙　　C 头　　D 肚子

9. A 腿流血了　　B 手流血了　　C 足球丢了　　D 去医院了

10. A 图书馆　　B 体育馆　　C 医院　　D 电影院

11. A 她不用减肥　　B 她太胖了　　C 她太瘦了　　D 她在开玩笑

12. A 发烧了　　B 肚子疼　　C 一直咳嗽　　D 陪同事看病

第三部分 07-3

第 13–22 题：请选出正确答案。

例如：男：把这个材料复印 5 份，一会儿拿到会议室发给大家。

女：好的。会议是下午三点吗？

男：改了。三点半，推迟了半个小时。

女：好，602 会议室没变吧？

男：对，没变。

问：会议几点开始？

A 两点　　B 3 点　　C 15：30 √　　D 18：00

13. A 病好了　　B 太忙了　　C 请不了假　　D 不愿意吃药

14. A 少吃饭　　B 做运动　　C 多吃水果　　D 吃减肥药

15. A 头疼　　B 腿疼　　C 肚子疼　　D 耳朵疼

16. A 多喝水　　B 不用吃药　　C 少抽烟　　D 经常运动

17. A 哭了　　B 饿了　　C 生病了　　D 没吃药

18. A 饿了　　B 渴了　　C 感冒了　　D 肚子不舒服

19. A 刮风了　　B 天气太干　　C 看电视太久　　D 长时间用电脑

20. A 不用电脑　　B 注意休息　　C 少看电视　　D 多做运动

21. A 休息好　　B 少抽烟　　C 幸福快乐　　D 身体不生病

22. A 身体好　　B 少生气　　C 身心健康　　D 精神健康

二、阅 读

第一部分

第 23–26 题：选词填空。

A 数字　B 植物　C 肚子　D 坚持　E 超过

例如：她每天都（ D ）走路上下班，所以身体一直很不错。

23. 我的（　　）在叫了，早上只吃了一小块儿蛋糕。

24. 价格写 99.9 元，不写 100，这其实是在玩儿（　　）游戏。

25. 身高没（　　）一米三免费，不用买票。

26. 他们说的其实是同一种（　　），只是在南方和北方有两个不同的名字。

第 27–30 题：选词填空。

A 严重　　B 后悔　　C 温度　　D 抽烟　　E 来不及

例如：A：今天真冷啊，好像白天最高（ C ）才 2℃。
B：刚才电视里说明天更冷。

27. A：你咳嗽好点儿了吗？医生怎么说？
B：还是老样子，他让我以后不要再（　　）了。

28. A：我的感冒更（　　）了，我想明天请一天假。
B：没问题。你最好去医院看一下。

29. A：最近我总是感冒，吃点儿什么药好？
B：冬天这么冷你还穿裙子，能不感冒吗？别光想着漂亮，等身体出现问题了，（　　）就晚了。

30. A：这个地方真大啊！咱们再去那边逛逛吧。
B：估计（　　）了，旅游车马上就要回去了。

第二部分

第 31–34 题：排列顺序。

例如：A　可是今天起晚了
　　　B　平时我骑自行车上下班
　　　C　所以就打车来公司　　　　B A C

31.　A　我晚点儿才能回去，桌子上有早上没吃完的面包
　　　B　就先吃点儿
　　　C　冰箱里还有面条，你要是饿了　　　＿＿＿＿

32.　A　如果你没有准备好
　　　B　它也会离开你去找别人
　　　C　那么就算机会走到了你面前　　　＿＿＿＿

33.　A　嘴上就会马上说出来
　　　B　意思是说一个人心里有什么想法
　　　C　“心直口快”常用来说明人的性格　　　＿＿＿＿

34.　A　秋冬季节，皮肤容易变得很干
　　　B　这是让很多人烦恼的事
　　　C　为了远离这个烦恼，我们要注意多喝水　　　＿＿＿＿

第三部分

第 35–43 题：请选出正确答案。

例如：她很活泼，说话很有趣，总能给我们带来快乐，我们都很喜欢和她在一起。

★ 她是个什么样的人？

A 幽默 √　　B 马虎　　C 骄傲　　D 害羞

35. 医生提醒人们，在吃感冒药前，一定要认真看说明书。并且最好只选择一种感冒药，如果药物之间互相影响，可能会对健康不好。

★ 医生一共有几个提醒？

A 一个　　B 两个　　C 三个　　D 四个

36. 没关系，不是很严重，不用住院，但是要注意多休息，不要太累。我再给你开点儿药，你要每天按时吃。

★ 这段话最可能是谁说的？

A 售货员　　B 顾客　　C 大夫　　D 律师

37. 夏天空调不能开得太低，室内比室外低不要超过 7℃。不然，从室外进入室内，很容易感冒。

★ 夏天空调开得太低，容易让人：

A 生气　　B 生病　　C 牙疼　　D 难过

38. 人们一般认为，一个人每天的睡觉时间应保证 7 到 8 个小时。但也有人认为，如果只睡 5 到 6 个小时，你感觉也很好，那就不需要睡更长时间。

★ 根据这段话，睡觉时间：

A 越长越好　　B 越短越好

C 应保证 7 到 8 个小时　　D 人们看法不同

39. 人们常说“生命在于运动”，运动对身体健康非常重要。所以我们应该有按时锻炼的好习惯，打篮球、踢足球、跑步等都是不错的选择。

★ 这段话主要谈：

A 动作要标准　　B 应按时运动　　C 减肥的方法　　D 工作很重要

40–41.

以前的人认为胖是美的，现在的人却认为瘦是美的，所以美女的标准一直在变，但是不管什么时候，想要变美必须要先健康。如果没有了健康，也就没有了真正的美。所以，女孩子们在减肥的时候要记得，健康才是第一位的。

★ 以前人们觉得什么样的女孩子更美？

A 胖的　　B 瘦的　　C 爱笑的　　D 安静的

★ 这段话主要想告诉我们：

A 要少吃饭　　B 要减肥　　C 健康最重要　　D 变美很难

42–43.

研究发现，久坐对人的身体健康有很大影响。医生提醒人们，每天静坐的时间最好不要超过 4 小时，如果超过 6 小时就会对身体非常不好。所以坐办公室的人和司机一定要注意，有时间就站起来活动活动，别等到身体出了问题再后悔。

★ 静坐的时间最好：

A 不要超过 6 小时　　B 4 到 6 个小时　　C 4 小时以内　　D 超过睡觉时间

★ 科学家提醒人们：

A 要多散步　　B 不要久坐　　C 不要抽烟　　D 要常检查身体

三、书写

第一部分

第 44–48 题：完成句子。

例如：那座桥　　800 年的　　历史　　有　　了

　　　那座桥有 800 年的历史了。

44.　　我　　适应这里的　　还不太　　气候

45.　　那位病人　　严重　　的　　情况　　吗

46.　　你　　关　　把窗户　　吗　　了

47.　　好处　　抽烟　　身体　　没有　　对

48.　　反对这样做　　差不多　　三分之二的人　　有

第二部分

第 49–50 题：看图，用词造句。

例如： 乒乓球　　她很喜欢打乒乓球。

49.  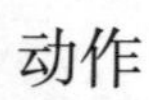 动作

50.  烦恼

8 生活中不缺少美

一、听力

第一部分 08-1

第 1–5 题：判断对错。

例如：我想去办个信用卡，今天下午你有时间吗？陪我去一趟银行？

★ 他打算下午去银行。 （ √ ）

现在我很少看电视，其中一个原因是，广告太多了，不管什么时间，也不管什么节目，只要你打开电视，总能看到那么多的广告，浪费我的时间。

★ 他喜欢看电视广告。 （ × ）

1. ★ 心情可以选择。 （　　）

2. ★ 小李对上次比赛很满意。 （　　）

3. ★ 生气时别急着做决定。 （　　）

4. ★ 办公环境对心情没有影响。 （　　）

5. ★ 吃甜的东西能使人心情变好。 （　　）

第二部分 08-2

第 6–12 题：请选出正确答案。

例如：女：该加油了，去机场的路上有加油站吗？
男：有，你放心吧。
问：男的主要是什么意思？

A 去机场　B 快到了　C 油是满的　D 有加油站 √

6. A 伤心　B 愉快　C 紧张　D 烦恼

7. A 音乐　B 电影　C 性格　D 感情

8. A 一刻钟　B 5 分钟　C 25 分钟　D 半小时

9. A 感谢　B 满意　C 生气　D 没关系

10. A 很高兴　B 有些紧张　C 非常着急　D 有点儿难过

11. A 大夫　B 经理　C 司机　D 服务员

12. A 伤心　B 紧张　C 愉快　D 后悔

第三部分 08-3

第 13-22 题：请选出正确答案。

例如：男：把这个材料复印 5 份，一会儿拿到会议室发给大家。

女：好的。会议是下午三点吗？

男：改了。三点半，推迟了半个小时。

女：好，602 会议室没变吧？

男：对，没变。

问：会议几点开始？

A 两点　　B 3 点　　C 15：30 √　　D 18：00

13. A 紧张　　B 着急　　C 放松　　D 难过

14. A 要去留学　　B 要结婚了　　C 通过考试了　　D 做成生意了

15. A 很担心　　B 很放松　　C 非常紧张　　D 特别难过

16. A 收到短信了　　B 减肥成功了　　C 超市在打折　　D 得到礼物了

17. A 觉得不好意思　　B 非常高兴　　C 难过极了　　D 感到不满意

18. A 堵车　　B 票卖完了　　C 电影没意思　　D 可能要加班

19. A 爱情　　B 烦恼　　C 快乐　　D 压力

20. A 让人高兴　　B 让人聪明　　C 让人睡得好　　D 让人皮肤好

21. A 晴天　　B 阴天　　C 下雨天　　D 下雪天

22. A 难过　　B 兴奋　　C 高兴　　D 紧张

二、阅 读

第一部分

第 23–26 题：选词填空。

A 回忆　　B 距离　　C 往往　　D 坚持　　E 态度

例如：她每天都（ D ）走路上下班，所以身体一直很不错。

23. 最困难的时候，（　　）也是你离成功最近的时候。

24. 一般来说，（　　）积极的人更容易感觉到幸福。

25. 这儿离大使馆还有一段（　　），你还是坐出租车去吧。

26. 这些发黄的老照片让那位老奶奶（　　）起很多年轻时候的事。

第 27–30 题：选词填空。

A 亲戚　B 耐心　C 温度　D 堵车　E 只要

例如：A：今天真冷啊，好像白天最高（　C　）才 2℃。

B：刚才电视里说明天更冷。

27. A：路上（　　），我要晚一点儿才能到。

B：没事，你不用着急，我也刚上地铁。

28. A：一位好老师一定是一个有（　　）的老师。

B：对，我们学校就有很多这样的老师。

29. A：小马，你的房子卖出去了吗？我有个（　　）想看看。

B：不好意思，昨天下午刚卖出去。

30. A：这里生活很方便，周围有超市、银行，离学校也不远。

B：（　　）你觉得满意就好，你拿主意吧。

第二部分

第 31–34 题：排列顺序。

例如：A 可是今天起晚了
B 平时我骑自行车上下班
C 所以就打车来公司　　　　B A C

31. A 小说《红楼梦》在中国非常有名
B 只要是中国人
C 我相信没有不知道它的　　　　______

32. A 让阳光和新鲜的空气进入室内
B 可以使您的心情变得更好
C 早上起床后，打开窗户　　　　______

33. A 也感谢他们这么多年来给我的爱
B 有了女儿以后，我才知道做妈妈有多么不容易
C 因此，我更加理解我的爸爸妈妈了　　　　______

34. A 还与人的生活环境、经历等有关
B 有人认为，年龄越大，经验就越丰富
C 其实，经验不但与年龄有关　　　　______

第三部分

第 35–43 题：请选出正确答案。

例如：她很活泼，说话很有趣，总能给我们带来快乐，我们都很喜欢和她在一起。

★ 她是个什么样的人？

A 幽默 √　B 马虎　C 骄傲　D 害羞

35. 很多时候，我们不得不去做一些自己不愿意做甚至很讨厌的工作。这时，我们最需要的就是耐心和责任心，还有一个愉快的心情。

★ 做不喜欢做的工作时，应该：

A 有耐心　B 提前完成　C 让同事做　D 每天加班

36. 有时候，哭并不一定是件坏事。哭可以使人从坏心情中走出来，是一种减轻压力的好办法。

★ 有时候哭并不是坏事，是因为哭能：

A 感动别人　B 减轻压力　C 解决问题　D 积累经验

37. 经验证明，理解别人可以使自己的心情变得更好。如果看见的总是别人不好的地方，你和别人的关系就会越来越紧张，你也会因为一直担心别人对你有什么不好的看法而无法高兴起来。

★ 总看别人的不好，会：

A 浪费时间　B 影响心情　C 缺少耐心　D 改变印象

38. 当你心情不好时，别一个人坐在房间里，也别躺在床上睡觉，更不要一个人去喝酒。你应该和朋友聊聊天儿、逛逛商场，这样你很快就会好起来的。

★ 心情不好时，应该：

A 找人聊天儿　B 少抽烟　C 努力工作　D 锻炼身体

39. 很多人爱吃巧克力，这是为什么呢？首先，巧克力大多是甜的，味道很好；其次，巧克力吃起来感觉很好，能使人的心情变得愉快；另外，巧克力还是节日人们非常喜爱的礼物，很浪漫。

★ 根据这段话，以下哪个不是人们喜欢吃巧克力的原因：

A 样子好看　　B 味道好　　C 让心情变好　　D 很浪漫

40-41.

生活中总会遇到一些让人感到紧张或不愉快的事情。有些事情虽然不大，却能影响你的心情，甚至会影响你的身体健康。这些问题人人都会遇到，但每个人都有不同的减压方法。当我感觉压力大时，我会去跑跑步或者打打篮球。我觉得这种方法比较健康，既能减轻压力，又能锻炼身体。

★ 压力大时，他会：

A 唱歌　　B 运动　　C 买东西　　D 找朋友聊天儿

★ 这段话主要想告诉我们：

A 工作的好处　　B 人的性格

C 心情不好的原因　　D 有压力时该怎么办

42-43.

很多人已经适应了每天紧张的工作。他们认为聊天儿只会浪费时间，所以很少会坐下来和朋友或者家人聊天儿。其实，在紧张的工作后，聊天儿往往能使人感到放松。另外，人们还可以通过聊天儿获得友谊。调查发现，经常和朋友聊天儿的人更受周围人的欢迎。因此，只要选好时间和地点，聊天儿会有很多好处。

★ 为什么有的人很少坐下来聊天儿？

A 没烦恼　　B 怕麻烦　　C 怕浪费时间　　D 不喜欢人多

★ 这段话告诉我们要：

A 努力工作　　B 多听音乐　　C 早睡早起　　D 经常聊天儿

三、书 写

第一部分

第 44–48 题：完成句子。

例如：那座桥　800 年的　历史　有　了

那座桥有 800 年的历史了。

44. 离大使馆　友谊宾馆　远　吗

45. 司机师傅　对　那位　非常熟悉　这儿

46. 任何事情的　是　发生　有原因的　都

47. 愉快　她们　聊得　非常　俩

48. 消息后　这个　伤心地　她听到　哭了

第二部分

第 49–50 题：看图，用词造句。

例如： 乒乓球 她很喜欢打乒乓球。

49.  心情

50. 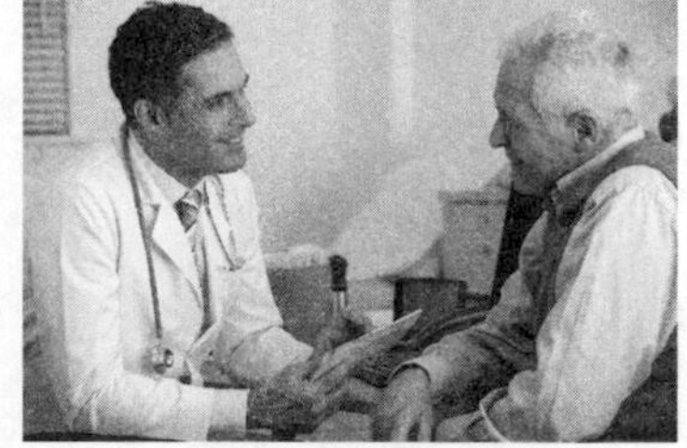 耐心

9 阳光总在风雨后

一、听 力

第一部分 09-1

第 1–5 题：判断对错。

例如： 我想去办个信用卡，今天下午你有时间吗？陪我去一趟银行？

★ 他打算下午去银行。 （ √ ）

现在我很少看电视，其中一个原因是，广告太多了，不管什么时间，也不管什么节目，只要你打开电视，总能看到那么多的广告，浪费我的时间。

★ 他喜欢看电视广告。 （ × ）

1. ★ 好的开始很重要。 （ ）

2. ★ 结果比过程更重要。 （ ）

3. ★ 没有失败就没有成功。 （ ）

4. ★ 聪明最重要。 （ ）

5. ★ 不要担心失败。 （ ）

第二部分 09-2

第 6–12 题：请选出正确答案。

例如：女：该加油了，去机场的路上有加油站吗？

男：有，你放心吧。

问：男的主要是什么意思？

A 去机场　B 快到了　C 油是满的　D 有加油站 √

6. A 不饿　B 想吃巧克力　C 不能吃东西　D 正在减肥

7. A 不想吃饭　B 放弃减肥　C 坚持运动　D 瘦了很多

8. A 有些着急　B 刚下火车　C 行李箱丢了　D 提前回来了

9. A 走一会儿　B 别迟到　C 休息一下　D 再跑一会儿

10. A 加班　B 爬山　C 打网球　D 打篮球

11. A 提前完成了　B 遇到困难了　C 通过检查了　D 交给别人了

12. A 没找到他　B 没调查清楚　C 不敢告诉他　D 不想告诉他

第三部分 09-3

第13-22题：请选出正确答案。

例如：男：把这个材料复印5份，一会儿拿到会议室发给大家。

女：好的。会议是下午三点吗？

男：改了。三点半，推迟了半个小时。

女：好，602会议室没变吧？

男：对，没变。

问：会议几点开始？

A 两点　B 3点　C 15：30 √　D 18：00

13. A 很勇敢　B 很可爱　C 很诚实　D 很有礼貌

14. A 翻译　B 做调查　C 招聘　D 写总结

15. A 接受邀请了　B 在讲课　C 在邀请客人　D 没时间

16. A 要去约会　B 正在减肥　C 不打算买裙子　D 想换小一号的

17. A 声音非常小　B 有上海味儿　C 别人听不懂　D 声音很好听

18. A 能够赚钱　B 能够出名　C 送给爱人　D 记下经历

19. A 后悔　B 紧张　C 高兴　D 难过

20. A 理想　B 努力工作　C 正确的方法　D 失败的经验

21. A 减肥　B 支持朋友　C 得奖金　D 锻炼身体

22. A 都想得第一　B 没有努力　C 都成功了　D 很有耐心

二、阅 读

第一部分

第 23–26 题：选词填空。

A 经历　　B 篇　　C 轻松　　D 坚持　　E 暂时

例如：她每天都（　D　）走路上下班，所以身体一直很不错。

23.　昨天的网球比赛他赢得非常（　　）。

24.　这（　　）小说就是他写的，他现在已经写了上百万字了。

25.　虽然（　　）了很多困难，但这也让他积累了许多经验。

26.　相信我，困难只是（　　）的，只要不放弃，就一定会成功。

第 27–30 题：选词填空。

A 正确　　B 主意　　C 温度　　D 国际　　E 随便

例如：A：今天真冷啊，好像白天最高（ C ）才 2℃。

B：刚才电视里说明天更冷。

27. A：这个（　　）是谁想出来的呀？

B：好像是三班的一个学生。

28. A：明天晚上的活动很正式，不要穿得太（　　）。

B：好，我已经准备好西服了。

29. A：马经理，这次的（　　）会议安排在下午两点，北京饭店 7 号会议室。

B：好，你准备一下材料，下午带上笔记本电脑和我一起去。

30. A：这件事我应该先跟您谈一谈，听听您的看法再决定的。

B：没关系，你的决定是（　　）的，我支持你。

第二部分

第 31–34 题：排列顺序。

例如：A 可是今天起晚了

B 平时我骑自行车上下班

C 所以就打车来公司　　　　B A C

31. A 所以今天早上才告诉你

B 可是又怕打扰你休息

C 我本来想昨天晚上就通知你的　　　　______

32. A 但过程比结果更重要

B 而且你还年轻，一切都可以重新开始

C 尽管这个计划失败了　　　　______

33. A 至少我们努力过

B 即使失败了也没关系

C 机会来了，就该试一试　　　　______

34. A 后来他见我做得很好，才慢慢改变了自己的看法

B 我爱人当时反对我选择这个工作

C 他觉得这个工作太辛苦了　　　　______

第三部分

第 35–43 题：请选出正确答案。

例如：她很活泼，说话很有趣，总能给我们带来快乐，我们都很喜欢和她在一起。

★ 她是个什么样的人？

A 幽默 √　B 马虎　C 骄傲　D 害羞

35. 成功是跟年龄没有关系的。只要你不放弃希望，不怕辛苦，能够一直坚持努力学习，提高自己的水平和能力，就一定会成功。

★ 什么样的人能获得成功？

A 聪明的　B 一直努力的　C 放弃希望的　D 年龄大的

36. 人们往往只羡慕别人成功时获得的鲜花和奖金，却很少去注意别人在取得成功之前流下的汗水。

★ 人们很少注意到：

A 别人的努力　B 别人的判断　C 自己的优点　D 自己的缺点

37. 我们对失败应该有正确的认识。失败其实可以让我们清楚自己还有什么地方需要提高，它可以帮助我们走向最后的成功。

★ 这段话中的“它”指的是：

A 仔细　B 认真　C 失败　D 努力

38. 人们最爱听的，是成功的故事；最爱说的，是成功的经历。对成功的人，很多人只知道羡慕，却不知道他们成功的原因是：别人休息的时候他们还在工作。

★ 根据这段话，为什么有些人能成功？

A 经验丰富　B 更有耐心　C 工作更努力　D 更注意休息

39. 每个人都想成功，但是成功并不是一件简单的事情。成功者在做事情以前会做好计划，遇到困难，他们从来不放弃，而是想办法去解决。即使遇到暂时的失败，他们也会勇敢地接受并总结经验。

★ 成功的人：

A 想法简单　　B 害怕困难　　C 没有计划　　D 不怕失败

40–41.

“冬天到了，春天还会远吗？”这句话很浪漫，也是一种积极、勇敢的精神。它告诉我们，任何失败都只是暂时的。只要我们不放弃希望，相信自己的能力，那么困难将被解决，烦恼将会离去，我们将迎来一个新的季节。

★ 根据这段话可以知道，失败：

A 很浪漫　　B 很危险　　C 离我们很近　　D 只是暂时的

★ 这段话告诉我们要：

A 相信自己　　B 相信别人　　C 适应环境变化　　D 学会安排时间

42–43.

有的人害怕失败，无法接受失败。他们认为，做每件事都必须成功，只有成功才是他们想要的结果。这不仅是因为他们不够勇敢，还因为他们对自己要求太高。不要因为失败而不再努力，通过失败你能获得别人没有的经验。

★ 有的人害怕失败，是因为他们：

A 有责任　　B 没经验　　C 容易紧张　　D 不够勇敢

★ 这段话想告诉我们：

A 不能失败　　B 结果更重要

C 不要害怕失败　　D 要对自己高要求

三、书写

第一部分

第 44–48 题：完成句子。

例如：那座桥　800 年的　历史　有　了

那座桥有 800 年的历史了。

44.　这场　赢　比赛　非常漂亮　得

45.　弟弟紧张　一身汗　得　出了

46.　先　调查　难道　一下　你没有

47.　效果　他的办法　很好　取得了　的

48.　生活的压力　并没有　放弃　理想　使他

第二部分

第 49–50 题：看图，用词造句。

例如：　乒乓球　她很喜欢打乒乓球。

49.　汗

50.　主意

10 幸福的标准

一、听 力

第一部分 10-1

第 1–5 题：判断对错。

例如：我想去办个信用卡，今天下午你有时间吗？陪我去一趟银行？

★ 他打算下午去银行。 （ √ ）

现在我很少看电视，其中一个原因是，广告太多了，不管什么时间，也不管什么节目，只要你打开电视，总能看到那么多的广告，浪费我的时间。

★ 他喜欢看电视广告。 （ × ）

1. ★ 笑使人更健康。 （ ）

2. ★ 他的职业是大夫。 （ ）

3. ★ 幸福是件很简单的事情。 （ ）

4. ★ 那家公司在招人。 （ ）

5. ★ 幸福有标准答案。 （ ）

第二部分 10-2

第 6–12 题：请选出正确答案。

例如：女：该加油了，去机场的路上有加油站吗？

男：有，你放心吧。

问：男的主要是什么意思？

A 去机场　B 快到了　C 油是满的　D 有加油站 √

6. A 明天　B 下星期　C 下个月　D 明年

7. A 老师　B 母亲　C 丈夫　D 孩子

8. A 他认识路　B 他很准时　C 他上网查查　D 他们一起去

9. A 东边　B 西边　C 南边　D 北边

10. A 女的要旅游　B 男的有女友　C 男的是硕士　D 男的在北京

11. A 自己　B 李律师　C 王教授　D 翻译公司

12. A 能力高　B 应聘的人少　C 专业好　D 长得好

第三部分 10-3

第 13–22 题：请选出正确答案。

例如：男：把这个材料复印 5 份，一会儿拿到会议室发给大家。

女：好的。会议是下午三点吗？

男：改了。三点半，推迟了半个小时。

女：好，602 会议室没变吧？

男：对，没变。

问：会议几点开始？

A 两点　B 3 点　C 15：30 √　D 18：00

13. A 饿了　B 想喝水　C 不想做饭　D 身体不舒服

14. A 要出差　B 去旅游　C 叔叔一家来　D 很多同学来

15. A 在学法律　B 读一年级　C 在读研究生　D 已经工作了

16. A 冷了　B 腿疼　C 要去举办活动　D 想去公园走走

17. A 房子不好　B 交通不方便　C 离公司太远　D 房租太贵

18. A 国际关系　B 教学　C 法律　D 经济

19. A 哭了　B 笑了　C 生气了　D 后悔了

20. A 有个女儿　B 有个儿子　C 二十岁了　D 母亲病了

21. A 相信朋友　B 理解别人　C 有房子和汽车　D 知道想要什么

22. A 钱　B 幸福　C 爱情　D 成功

二、阅 读

第一部分

第 23–26 题：选词填空。

A 永远　B 发展　C 拉　D 坚持　E 条件

例如：她每天都（ D ）走路上下班，所以身体一直很不错。

23. 他们俩小的时候特别好，天天手（　　）手一起玩儿。

24. 以我们现在的经济（　　），解决这个问题还有点儿困难。

25. 人的一生中，不可能（　　）顺利，总会遇到这样或那样的困难。

26. 帮助别人可以积累人际关系，对自己的职业（　　）很有好处。

第 27–30 题：选词填空。

A 确实　　B 建议　　C 温度　　D 关键　　E 不过

例如：A：今天真冷啊，好像白天最高（ C ）才 2℃。

B：刚才电视里说明天更冷。

27. A：你认为一个人成功的（　　）是什么？

B：我觉得是坚持。

28. A：你不是很喜欢那辆自行车吗？怎么不买了？

B：我（　　）很喜欢，不过它太贵了，等我下月发工资以后再说吧。

29. A：听说你离开那家公司了，找到新工作了吗？

B：一直在找，（　　）不太顺利，还没找到。

30. A：我刚学会开车，水平一般，还经常走错路。

B：我（　　）你平时多开车出去走走，熟悉一下道路情况，这样慢慢就好了。

第二部分

第 31–34 题：排列顺序。

例如：A 可是今天起晚了

B 平时我骑自行车上下班

C 所以就打车来公司 B A C

31. A 不过这里以前比较安静

B 我对这里当然熟悉了，我家原来就住这儿附近

C 不像现在人这么多 ________

32. A 你也有这样的特点吗

B 比如说，做事努力、对自己要求很高等

C 调查发现，优秀的人都有一些共同点 ________

33. A 不管哪个同事遇到了困难

B 他都愿意帮忙

C 小王确实是个热情的人 ________

34. A 那种既兴奋又紧张的感觉到现在还很难忘记

B 由于那是我第一次参加国际比赛

C 大学三年级时，我参加了世界大学生汉语比赛 ________

第三部分

第35–43题：请选出正确答案。

例如：她很活泼，说话很有趣，总能给我们带来快乐，我们都很喜欢和她在一起。

★ 她是个什么样的人？

A 幽默 √　　B 马虎　　C 骄傲　　D 害羞

35. 人一生最幸福的事情是有爸爸妈妈的爱，这种爱是没有任何条件的，也是永远都不会改变的。

★ 父母对孩子的爱：

A 是有条件的　　B 是会改变的

C 是不变的　　D 受经济条件影响

36. 要想过得快乐，就应该记住该记住的，忘记该忘记的；改变能改变的，接受不能改变的。

★ 这段话主要谈的是：

A 第一印象　　B 职业特点　　C 经济的发展　　D 生活态度

37. 女儿大学毕业后，当了律师。拿到第一个月的工资后，就兴奋地拉着我和她爸去商场，要给我们买礼物。

★ 拿到工资后，女儿：

A 请了一个月假　　B 又去加班了　　C 想送父母礼物　　D 换工作了

38. 我哥哥今年26岁，现在正在读硕士研究生，学的是经济专业。我觉得他不但能力强，而且脾气好，将来一定能找到一份很好的工作。

★ 他的哥哥：

A 工作努力　　B 还在读书　　C 能力较差　　D 爱发脾气

39. 今天下出租车时，由于着急赶时间，我不小心把照相机忘在了出租车上。司机师傅发现后马上叫住我，把相机还给了我。

★ 司机叫住他是为了：

A 停车　　B 找钱　　C 还他相机　　D 和他聊天儿

40–41.

谁都希望获得幸福，但是幸福的标准是什么，估计很多人并没有仔细想过。有的人希望住大房子、开高级车，好像只要这样就能幸福。可是有很多富人过得并不愉快，有些穷人却过得很快乐。由此可知，幸福不是只要有钱就能买到的。

★ 根据这段话可以知道，幸福：

A 很容易获得　　B 是买不到的

C 跟性格有关　　D 跟经济条件有关

★ 这段话主要谈的是：

A 穷和富的区别　　B 第一印象　　C 幸福的标准　　D 钱的重要性

42–43.

选择爱人时，你最看重什么？他的家庭、收入还是性格？在我看来，赚钱多少不是最重要的，家庭也不是那么重要，性格才是关键。你喜欢一个人，你跟他 / 她在一起的时候就不会感到累，更不会觉得有压力。如果每天都能这样愉快地生活，你就会觉得很幸福。

★ 这段话主要谈的是：

A 幸福的标准　　B 将来的发展

C 减少压力的方法　　D 选择爱人的关键

★ 根据这段话，他认为什么最重要？

A 性格　　B 家庭　　C 知识　　D 收入

三、书写

第一部分

第44–48题：完成句子。

例如：那座桥　800年的　历史　有　了

那座桥有800年的历史了。

44. 翻译　句子　得　不对　这个

45. 硕士　研究生　她　马教授的　是

46. 积极的　成功的　关键　是　态度

47. 要求　他各方面条件　都　符合

48. 太大关系　职业和专业　并　没有

第二部分

第 49–50 题：看图，用词造句。

例如：乒乓球　她很喜欢打乒乓球。

49. 困

50. 答案

附录

HSK（四级）介绍

HSK（四级）考查考生的汉语应用能力，它对应于《国际汉语能力标准》四级、《欧洲语言共同参考框架（CEF）》B2级。通过HSK（四级）的考生可以用汉语就较广泛领域的话题进行谈论，比较流利地与汉语为母语者进行交流。

一、考试对象

HSK（四级）主要面向按每周2–3课时进度学习汉语四个学期（两学年），掌握1200个常用词语的考生。

二、考试内容

HSK（四级）共100题，分听力、阅读、书写三部分。

<table>
<tr><th colspan="2">考试内容</th><th colspan="2">试题数量（个）</th><th>考试时间（分钟）</th></tr>
<tr><td rowspan="3">一、听力</td><td>第一部分</td><td>10</td><td rowspan="3">45</td><td rowspan="3">约30</td></tr>
<tr><td>第二部分</td><td>15</td></tr>
<tr><td>第三部分</td><td>20</td></tr>
<tr><td colspan="4">填写答题卡</td><td>5</td></tr>
<tr><td rowspan="3">二、阅读</td><td>第一部分</td><td>10</td><td rowspan="3">40</td><td rowspan="3">40</td></tr>
<tr><td>第二部分</td><td>10</td></tr>
<tr><td>第三部分</td><td>20</td></tr>
<tr><td rowspan="2">三、书写</td><td>第一部分</td><td>10</td><td rowspan="2">15</td><td rowspan="2">25</td></tr>
<tr><td>第二部分</td><td>5</td></tr>
<tr><td>共计</td><td>/</td><td colspan="2">100</td><td>约100</td></tr>
</table>

全部考试约105分钟（含考生填写个人信息时间5分钟）。

1. 听力

第一部分，共10题。每题听一次。每题都是一个人先说一小段话，另一人根据这段话说一个句子，试卷上也提供这个句子，要求考生判断对错。

第二部分，共15题。每题听一次。每题都是两个人的两句对话，第三个人根据对话问一个问题，试卷上提供4个选项，考生根据听到的内容选出答案。

第三部分，共20题。每题听一次。这部分试题都是4到5句对话或一小段话，根据对话或语段问一到两个问题，试卷上每题提供4个选项，考生根据听到的内容选出答案。

2. 阅读

第一部分，共10题。每题提供一到两个句子，句子中有一个空格，考生要从提供的选项中选词填空。

第二部分，共 10 题。每题提供 3 个句子，考生要把这 3 个句子按顺序排列起来。

第三部分，共 20 题。这部分试题都是一小段文字，每段文字带一到两个问题，考生要从 4 个选项中选出答案。

3. 书写

第一部分，共 10 题。每题提供几个词语，要求考生用这几个词语写一个句子。

第二部分，共 5 题。每题提供一张图片和一个词语，要求考生结合图片用这个词语写一个句子。

三、成绩报告

HSK（四级）成绩报告提供听力、阅读、书写和总分四个分数。总分 180 分为合格。

	满分	你的分数
听力	100	
阅读	100	
书写	100	
总分	300	

HSK 成绩长期有效。作为外国留学生进入中国院校学习的汉语能力的证明，HSK 成绩有效期为两年（从考试当日算起）。

Introduction to the HSK Level 4 Test

HSK Level 4 tests students' ability to use the Chinese language, corresponding to Level 4 of *Chinese Language Proficiency Scales for Speakers of Other Languages* and Level B2 of *Common European Framework of Reference for Languages (CEF)*. Candidates who have passed the HSK Level 4 test can use Chinese to discuss topics in a relatively wide range of fields and communicate with native Chinese speakers rather fluently.

Ⅰ. Targets

The HSK Level 4 test is targeted at students who have learned Chinese 2-3 class hours a week for four semesters (two academic years) and have mastered 1,200 common Chinese words.

Ⅱ. Contents

The HSK Level 4 test includes 100 questions in total, divided into three parts—Listening, Reading, and Writing.

<table>
<tr><th colspan="2">Contents</th><th colspan="2">Number of Questions</th><th>Duration (min.)</th></tr>
<tr><td rowspan="3">Ⅰ. Listening</td><td>Part 1</td><td>10</td><td rowspan="3">45</td><td rowspan="3">Approximately 30</td></tr>
<tr><td>Part 2</td><td>15</td></tr>
<tr><td>Part 3</td><td>20</td></tr>
<tr><td colspan="4">Fill out the answer sheet</td><td>5</td></tr>
<tr><td rowspan="3">Ⅱ. Reading</td><td>Part 1</td><td>10</td><td rowspan="3">40</td><td rowspan="3">40</td></tr>
<tr><td>Part 2</td><td>10</td></tr>
<tr><td>Part 3</td><td>20</td></tr>
<tr><td rowspan="2">Ⅲ. Writing</td><td>Part 1</td><td>10</td><td rowspan="2">15</td><td rowspan="2">25</td></tr>
<tr><td>Part 2</td><td>5</td></tr>
<tr><td>Total</td><td>/</td><td colspan="2">100</td><td>Approximately 100</td></tr>
</table>

The whole test takes about 105 minutes (including 5 minutes for students to write down personal information).

1. Listening

Part 1 includes 10 questions. The recordings are read once only. For each question, there is a monologue, followed by a sentence said based on the monologue. The sentence is also given on the test paper for the candidates to decide whether it is true or false.

Part 2 includes 15 questions. The recordings are read once only. For each question, there is a dialogue between two persons, each saying one sentence. A third person raises a question based on the dialogue, and four options are provided on the test paper for the candidates to choose based on what they've heard.

Part 3 includes 20 questions. The recordings are read once only. For each question, there is a dialogue with four or five sentences, or there is a short passage. One or two questions are asked based on the dialogue or passage, and four options are provided on the test paper for the candidates to choose based on what they've heard.

2. Reading

Part 1 includes 10 questions. For each question, there are one or two sentences with a blank left for the candidates to fill in by choosing from the options given.

Part 2 includes 10 questions. For each question, there are three sentences for the candidates to put them in order.

Part 3 includes 20 questions. For each question, there is a short text followed by one or two questions. Candidates have to choose the answer to each question from the four options given.

3. Writing

Part 1 includes 10 questions. For each question, there are several words and expressions. Candidates are required to write a sentence using these words and expressions.

Part 2 includes 5 questions. For each question, there is one picture and one word. Candidates are required to write a sentence using the word based on the picture.

Ⅲ. Performance Report

The test report of HSK Level 4 consists of the score for Listening, the score for Reading, the score for Writing, and the total score. One needs 180 marks to pass the test.

	Full Score	Your Score
Listening	100	
Reading	100	
Writing	100	
Total	300	

One's HSK score is valid all the time. As a certificate of the Chinese proficiency of an international student who wants to study in a Chinese university, the HSK score is valid for two years (as of the day of testing).

图书在版编目(CIP)数据

HSK标准教程4上．练习册／姜丽萍主编．— 北京：北京语言大学出版社，2015.2（2018.9重印）
ISBN 978-7-5619-4117-1
Ⅰ．①H… Ⅱ．①姜… Ⅲ．①汉语－对外汉语教学－水平考试－习题集 Ⅳ．①H195
中国版本图书馆CIP数据核字(2015)第018167号

书　　名：HSK标准教程 4上 练习册（HSK BIAOZHUN JIAOCHENG 4 SHANG LIANXICE）
中文编辑：王　轩
英文编辑：侯晓娟
装帧设计：李　政　李　佳
排版制作：北京创艺涵文化发展有限公司
责任印制：周　燚

出版发行：北京语言大学出版社
社　　址：北京市海淀区学院路15号　　邮政编码：100083
网　　址：www.blcup.com
编 辑 部：8610-8230 3647/3592/3395
发 行 部：8610-8230 3650/3591/3648（国内）
8610-8230 0309/3365/3080（海外）
读者服务部：8610-8230 3653
网上订购：8610-8230 3908　service@blcup.com
印　　刷：保定市中画美凯印刷有限公司
经　　销：全国新华书店
版　　次：2015年2月第1版　　2018年9月第7次印刷
开　　本：889mm x 1194mm　1/16　　印张：7
字　　数：129千字
书　　号：ISBN 978-7-5619-4117-1 / H·15005
03500

Printed in China

凡有印装质量问题，本社负责调换。电话：8610-82303590